Je m'habille et...
je te croque !

D1530791

Je m'habille et...

Bénédicte Guettier

je te croque !

lutin poche de l'école des loisirs
11, rue de Sèvres, Paris 6e

Coucou!!
Je suis le loup-garou

Je mets
ma culotte

Je mets
mon tee-shirt

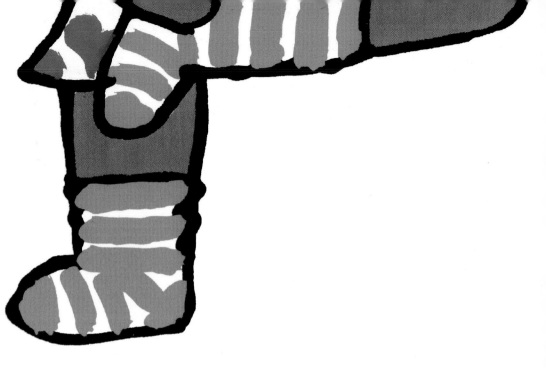

Je mets
mes chaussettes

Je mets
mon pantalon

Je mets
mon pull

Je mets
mes bottes

Je mets
mon chapeau

Je mets
mon grand manteau et...

J'arrive!!

Miam ! !

ISBN 978-2-211-05597-0
Première édition dans la collection « lutin poche » : février 2000
© 1998, l'école des loisirs, Paris
Loi numéro 49 956 du 16 juillet 1949 sur les publications
destinées à la jeunesse : octobre 1998
Dépôt légal : septembre 2015
Imprimé en France par I.M.E. by Estimprim - 25110 Autechaux